QUI
A PEUR DES
FANTÔMES ?

À RoJo.
A. C.

NOUS SOMMES TOUS DIFFÉRENTS, DONC TOUS EXCEPTIONNELS.

PROVERBE ARAMÉEN

Éditions Play Bac, 14 bis, rue des Minimes, 75003 Paris ; www.playbac.fr

Qui
a peur des
fantômes ?

MOKA

ILLUSTRATIONS
ANNE CRESCI

playBac

kinra girls

IDALINA

KUMIKO

Kumiko est japonaise. C'est une peintre talentueuse, qui aime aussi la photo et la mode.

Idalina est espagnole. Elle joue de la guitare et c'est une superbe chanteuse de flamenco.

Naïma est afro-américaine. Son père est américain et sa mère vient d'Afrique. Le cirque est sa passion.

Rajani est indienne. Elle adore danser, surtout les danses traditionnelles de son pays.

Alexa est australienne. Elle monte à cheval et souhaite devenir championne d'équitation.

MICHELLE
ennemie
des Kinra Girls

RUBY
ennemie
des Kinra Girls

JENNIFER
ennemie
des Kinra Girls

MICKAEL
ami
des Kinra Girls

JOHANNIS
ami
des Kinra Girls

M. MEYER
le directeur

MISS DAISY
l'assistante
du directeur

EMMA
l'infirmière

MME BECKETT
le professeur
d'anglais

**SIGNORA
DELLA TORRE**
le professeur
de chant

MME JENSEN
le professeur
de danse

MME GANZ
le professeur
d'art dramatique

MAÎTRE WANG
le professeur
de dessin

M. RAMOS
le professeur
de guitare

M. BROWN
le professeur
de mathématiques

M. TREMBLAY
le professeur
des arts du cirque

RAINER
le professeur
d'équitation

Chapitre 1

Boum Boum !

À l'Académie Bergström, le courrier était distribué aux pensionnaires tous les mardis. Rajani passa à l'administration avant le petit déjeuner. Une surprise l'attendait. Un paquet de Mumbai[1] ! Toute joyeuse, Rajani remonta dans sa chambre. Elle était persuadée que c'était un cadeau de sa grand-mère Karisma.

— Tu t'es levée tôt ! remarqua Kumiko.

Moi, je suis tellement crevée que j'ai

---

1. *Mumbai : ville importante d'Inde, autrefois appelée Bombay, où habite la famille de Rajani.*

les paupières collées ! J'aurais besoin
du chien du directeur pour me guider…
Qu'est-ce que c'est ?
Rajani déchira l'emballage. À l'intérieur
du carton, elle découvrit, bien enveloppé
dans des couches de papier, un très joli
vase rouge et or.

— Oh ! C'est ravissant !
admira Kumiko.

— Karisma sait que j'aime
mettre des fleurs sur
mon bureau, expliqua
Rajani. Ah, il y a une
lettre !

À la grande surprise de
son amie, Rajani fondit
brusquement en larmes.

— Qu'est-ce qui t'arrive ?
s'inquiéta Kumiko.

Incapable de lui répondre, Rajani lui tendit

la feuille. En fait de lettre, il n'y avait que ces quelques mots : « Je suis fier de toi. Papa. »

– Heu... Y a pas de quoi pleurer.

C'est plutôt gentil, non ?

Rajani essuya ses joues et sourit.

– Tu ne comprends pas. Jamais... jamais mon père ne m'a dit qu'il était fier de moi.

– Je suis sûre qu'il l'a toujours pensé.

Oh ! là, là ! Faut qu'on se dépêche un peu !

Rajani posa le vase sur sa table, le cœur plein d'un grand bonheur.

Le premier cours de la journée était celui de Mme Beckett. Le professeur d'anglais distribua les copies corrigées de la dernière interrogation écrite.

– Dans l'ensemble, ce n'est pas mal, commenta-t-elle. Si vous avez des questions sur mes corrections, vous pourrez me les poser après le cours. J'attends toujours vos suggestions pour le spectacle de fin d'année. Je crois que je n'ai pas été assez claire à ce sujet. Il s'agit d'un travail sérieux qui vous concerne tous. Chacun d'entre vous doit y prendre part. Par exemple, les élèves qui étudient le dessin pourraient faire des décors ou des costumes.

Johannis leva la main.

– Mais, moi, je fais des maths et je joue aux échecs ! Que voulez-vous que je fasse ?

– Il y a mille façons de se rendre utile, répondit le professeur. Et puis, vous avez peut-être un talent caché pour la comédie !

Mickael, le meilleur ami de Johannis, se mit à rire en voyant la tête de celui-ci. Mme Beckett le regarda sévèrement.

– Hum, fit-elle. Pour conclure, je vous prie de réfléchir et de faire des propositions. Intelligentes, si possible.

Nous en reparlerons vendredi. Et

maintenant, un peu de grammaire...

Tout le monde poussa un soupir de désespoir.

***

M. Tremblay, le professeur de Naïma, entra

par le fond du chapiteau. Il portait la cage de

son perroquet, Bob. Ses élèves le saluèrent

sans oublier le « bonjour, Bob ! » habituel.

M. Tremblay ouvrit la cage et posa Bob sur

son perchoir.

— Mes enfants, aujourd'hui je voudrais

vous parler d'un homme étonnant.

Son nom était Geronimo Medrano.

— Boum Boum ! cria Bob.

— Oui merci, Bob. Geronimo est né en

Espagne en 1849. Comme clown, il a

voyagé dans de nombreux pays. Une fois

à Paris, il est devenu le clown préféré

de son époque. Pourquoi ? Parce qu'il savait tout faire ! Acrobate à terre, aux anneaux, à cheval, au trapèze ! Danseur, magicien, dresseur de cochon et poète ! Quand il quittait la piste, les spectateurs le rappelaient en hurlant : « Boum Boum ! » C'était son nom d'artiste.

Bob se mit à trépigner sur son perchoir.

– Boum Boum ! Bob veut noix !

– Non ! répondit M. Tremblay. Alors, mes enfants, souvenez-vous de Geronimo « Boum Boum » Medrano...

– Bob veut raisin !

– Non ! Boum Boum a changé pour toujours l'art d'être clown. Et son nom de famille, Medrano, est resté dans les mémoires comme celui d'un des cirques les plus célèbres du monde.

Furieux, le perroquet s'envola jusqu'à la malle des Indes[2] où étaient assis Mickael et Naïma.

---

2. *Malle des Indes : malle utilisée lors de numéros d'illusionnistes.*

– Mickael joli ! Bob veut noix…

– Il te fait le coup du charme ! remarqua Naïma, amusée.

– Ah, ça suffit ! se fâcha M. Tremblay. Tu as assez mangé depuis ce matin. Je vais t'enfermer si tu continues !

Le perroquet lui tourna le dos. Les élèves éclatèrent de rire.

– Il boude, ce mal élevé ! J'ai oublié où j'en étais… Ah oui ! Le clown Boum Boum doit être un modèle pour vous. Voilà ce que je souhaite vous apprendre : soyez inventifs, cherchez encore et encore à imaginer, à créer et à surprendre le public. Quand vous sortirez de cette école, vous saurez, vous aussi, tout faire. Il est temps d'inviter une amie très chère à nous rejoindre. Accueillez comme il se doit la formidable Mistinguett !

Le rideau s'agita. Ravis, les élèves virent

apparaître Rainer, le professeur d'équitation, Alexa et une adorable jument blanche.

– Mes enfants, je vous présente Mistinguett. Et c'est une star ! Avec son cavalier, le Russe Wladimir, elle a été la vedette de nombreux spectacles. Elle profite maintenant d'une retraite plus que méritée à l'Académie. Mais elle aime bien travailler avec nous. Ça lui rappelle ses années de gloire !

Alexa adressa un petit signe de la main à Naïma. Comme elle avait été blessée par le cheval Nelson, elle était privée de cours d'équitation. Elle était obligée d'attendre l'accord du médecin avant de remonter à cheval. Pour la consoler (et l'occuper !), Rainer lui avait proposé de l'accompagner. M. Tremblay expliqua que, pour commencer, ils feraient des exercices à l'arrêt, debout sur le dos de Mistinguett.

Ensuite, Alexa conduirait la jument au pas.
Et sur un cheval sans selle, c'était dur de ne
pas tomber ! Rainer conseilla de monter
bien à l'arrière, sur la croupe. Tant que
Mistinguett ne bougeait pas, personne
n'eut de problème. Mais dès qu'elle se mit
en marche, tous les enfants perdirent
l'équilibre. Rainer et M. Tremblay étaient là
pour les rattraper au vol. Chaque fois qu'un
des apprentis écuyers[3] glissait, Mistinguett
tournait la tête, les oreilles dressées.
On aurait pu croire qu'elle riait !
Au bout de deux heures d'entraînement,
la plupart des élèves réussirent à faire
le tour de la piste sans chuter. Naïma, qui
était une bonne acrobate au sol, avait vite
compris qu'il fallait suivre les mouvements
de Mistinguett.

    – C'est un peu comme des musiciens
qui jouent, remarqua-t-elle. Si on n'est

---

3. *Écuyer : personne qui fait un numéro d'équitation dans un cirque.*

pas ensemble, ça fait « couac » !

– Excellente comparaison !

la complimenta M. Tremblay.

Un cavalier travaille avec son cheval.

Faites confiance à Mistinguett et

traitez-la avec respect. Et elle vous

donnera tout son cœur et son courage !

– Boum Boum ! cria Bob.

Le perroquet était jaloux qu'on s'intéresse

davantage à la jument qu'à lui !

Chapitre 2
Alexa fait une découverte

Les Kinra Girls s'étaient donné rendez-vous à la bibliothèque après les cours. La bibliothèque… Un lieu où elles étaient sûres de trouver bien des choses. N'avaient-elles pas déjà découvert le passage secret dans la cheminée et un mystérieux plan en forme de lion[4] ? Naïma arriva la première. Mme Beckett surveillait les élèves. Pour s'occuper en attendant les autres, Naïma chercha dans les rayonnages

4. *Voir* Les Griffes du lion *(tome 3), dans la même collection.*

des ouvrages sur le cirque. Elle choisit un gros livre qui parlait des cirques de l'ancien temps. Naïma feuilleta les pages en guettant la porte. Elle sourit quand Idalina entra.

– Rajani et Kumiko sortent toujours en retard de leurs cours, dit Idalina en s'asseyant. Mais où est Alexa ?

– Je l'ai vue tout à l'heure, expliqua Naïma. L'infirmière est venue la prévenir que le médecin était là.

– Ah ! J'espère qu'Alexa va pouvoir monter à cheval de nouveau !

Qu'est-ce que tu lis ?

Idalina se pencha pour regarder par-dessus l'épaule de son amie.

– C'est fou ! s'exclama-t-elle. Ils montraient plein d'animaux dans les cirques, avant !

La liste était impressionnante : poules, renards, cochons, moutons, chameaux, chats, buffles, vaches, lamas, crocodiles,

serpents, babouins, ânes, cerfs, aigles,
hyènes !

— Quatre-vingts ours polaires sur une
même piste ! s'écria Naïma. C'est
complètement dingue !

— C'est horrible, oui ! Pauvres bêtes !

— Heureusement, on n'a plus le droit
de faire ça.

Mme Beckett fronça les sourcils et leur
ordonna de baisser la voix. Naïma continua
de lire.

— C'est quoi, une pantomime ?

Idalina haussa les épaules. Elle l'ignorait.
Naïma se leva pour demander à Mme Beckett.

— Une pantomime ? dit le professeur.
C'est un genre de spectacle où les acteurs
jouent sans parler. Les pantomimes
étaient à la mode au début du xxe siècle.
On mélangeait tout : la danse, le chant,
l'acrobatie… Les cirques d'aujourd'hui

refont un peu ce genre de choses.
Auparavant, ça ressemblait plus à des
petites scènes de théâtre.

– Ça devait être super… rêva Naïma.
Est-ce que… est-ce qu'on pourrait
monter une pantomime avec la classe ?

– C'est une très bonne idée !
complimenta Mme Beckett.

Idalina s'était approchée pour écouter.
Elle aussi pensait que l'idée de Naïma
était excellente.

– Cherchez une histoire qui permette

à tous les élèves de participer, conseilla
Mme Beckett. Avec de la danse,
de la musique…

— Des jongleurs et des magiciens,
ce serait super, ajouta Naïma.

— C'est cela, approuva Mme Beckett.
De tout un peu !

— Je pourrai chanter ? demanda Idalina.

— Une pantomime est une histoire sans
paroles. Mais vous pouvez utiliser le
mime et le chant pour la raconter. Je
compte sur vous, jeunes filles. Vous tenez
là un magnifique projet. Je serais déçue
que vous n'alliez pas jusqu'au bout.

Naïma et Idalina retournèrent s'asseoir
à leur table. Rajani et Kumiko arrivèrent
à ce moment-là. À mi-voix, Naïma les mit
au courant.

— J'adore ! s'exclama Kumiko. Je pourrais
faire les costumes !

– Ça représente beaucoup de travail, remarqua Rajani.

– C'est vrai, mais on a toute l'année, répondit Idalina.

Elles regardèrent le livre sur le cirque au cas où il y aurait des exemples de pantomime.

– Je ne sais pas quel rôle on peut donner à Johannis, dit Naïma en riant, mais j'ai un numéro pour Ruby. On va la déguiser en ours blanc !

Pendant que ses amies discutaient du spectacle, Alexa passait sa visite médicale à l'infirmerie. Le médecin examina son épaule, puis lui posa quelques questions.

– Tu n'as pas de vertiges ? Des maux de tête ?

– Je me porte comme un charme ! rétorqua Alexa. Croyez-moi, il m'est arrivé bien pire ! Une fois, un cheval m'a marché sur le pied. Ouille, ouille, ouille !

Et aussi quand je suis tombée en sautant la barrière, papa m'avait interdit de le faire, maintenant je sais pourquoi... Et quand je me suis cassé la figure en courant sur le pont mouillé du *River Princess*[5].

Plaf ! J'avais un de ces cocards à l'œil ! Je vous raconte pas le jour où...

– Oui, j'ai compris. Nous allons devenir inséparables !

Alexa trouva la remarque très drôle et éclata de rire.

– J'essaierai de ne pas vous déranger trop souvent, docteur !

– J'apprécierais, répondit le médecin en souriant. Bon, ça va. Tu peux reprendre le sport.

– Hourra ! Merci, docteur !

Le médecin lui dit « à bientôt » sur le ton de la plaisanterie et la laissa seule. Alexa

---

5. *Le* River Princess *est le nom du bateau que pilote le père d'Alexa sur la rivière Adélaïde, en Australie.*
Voir Le Code secret d'Alexa, *dans la même collection.*

enfila son pull et s'apprêta à partir. Elle
s'immobilisa soudain. Elle était dans la petite
chambre derrière le bureau de l'infirmière.
Il y avait là deux lits pour les malades. Mais
ce n'était pas ça que regardait Alexa…

– Un carrelage noir et blanc…

murmura-t-elle.

Elle compta soixante-quatre dalles.
Incroyable ! Le même nombre de dalles
que dans le moulin abandonné[6] ! Le même

6. *Voir* La Rencontre des Kinra Girls *et* Le Chat fantôme.

nombre que les cases du panneau derrière
les dictionnaires de la bibliothèque où les
Kinra Girls avaient découvert le mystérieux
dessin de la constellation du Lion ! Le même
nombre que les étoiles de la constellation !
Soixante-quatre ! Le chiffre magique !
Alexa était absolument sûre qu'il n'y avait
pas d'autre carrelage comme celui-là dans
l'école. Alors… ça signifiait forcément
quelque chose. Alexa se tourna vers la
fenêtre. Vite ! Avant qu'Emma, l'infirmière,

ne se demande pourquoi elle tardait tant, Alexa desserra le loquet qui bloquait la fenêtre et souleva celle-ci d'un centimètre. Puis elle se dépêcha de sortir de la pièce en prenant soin de refermer la porte derrière elle. Avec un peu de chance, Emma ne s'apercevrait de rien.

– Voilà ! dit Alexa. J'ai l'autorisation de monter à cheval. Je suis bien contente !

– Je n'en doute pas, répondit Emma. Fais-moi plaisir : demain, vas-y doucement.

– Oui, oui ! lança Alexa. Promis ! Bonsoir, Emma !

Alexa fila à toute vitesse. Elle avait hâte de parler de sa découverte avec les Kinra Girls.

Chapitre 3

Le secret du carrelage de l'infirmerie

Il était déjà assez tard et la nuit tombait vite en cette saison. Rajani, Kumiko, Idalina et Naïma ne restèrent pas longtemps dans la bibliothèque. D'ailleurs, avec Mme Beckett qui surveillait chacun de leurs gestes, il n'était pas très facile de fouiller discrètement dans les rayons. Les filles étaient persuadées qu'il y avait encore beaucoup à découvrir dans cette pièce.

Peut-être y avait-il d'autres compartiments secrets ? Peut-être y avait-il des indices dans les livres ? Rajani avait quand même pris le temps de vérifier dans une encyclopédie que le dessin en forme de lion était copié sur la constellation. Il n'y avait aucun doute : c'était bien les étoiles de la constellation du Lion. Mais avaient-elles raison de croire qu'il s'agissait d'un plan des souterrains ? Il y avait un escalier caché dans les murs du château. Ça, c'était sûr.

Alexa, comme d'habitude, passa prendre Jazz pour sa promenade. Ses amies décidèrent de l'accompagner pour discuter en toute tranquillité. Idalina voulait absolument se rendre à l'écurie. ***Esperanza***[7], la petite chatte à moitié sauvage, et ses chatons y avaient été mis à l'abri. Alexa et Kumiko restèrent dehors avec le labrador. Les chiens et les chats, n'est-ce pas...

---

7. Esperanza *(en espagnol)* : espérance.

Haut dans le ciel, un avion passa, laissant une traînée blanche derrière lui. Kumiko claqua deux fois dans ses mains. Elle fit ensuite semblant de prendre une photo de l'avion en formant un cadre avec ses doigts.

– Qu'est-ce que tu fais ? s'étonna Alexa.

– Au Japon, on dit que ça porte bonheur, expliqua Kumiko. On fait un vœu qui se réalisera le jour où on prend comme ça « en photo » le centième avion. C'est un jeu d'enfant...

– C'est quoi, ton vœu ?

– On ne le dit pas, voyons !

Kumiko avait appris, peu de temps avant de partir pour l'Académie Bergström, que ses parents l'avaient adoptée.

Son vœu ? Savoir qui étaient ses vrais parents. C'était son secret, un secret qu'elle n'avait pas encore partagé avec ses amies. Elle ne pouvait pas en parler pour l'instant. C'était trop dur pour elle.

– Je n'ai pas l'impression que les autres ont envie d'explorer l'infirmerie ce soir, déclara Kumiko.

– On n'a pas le choix, répondit Alexa. On ne peut pas attendre jusqu'à samedi. Emma finira par s'apercevoir que la fenêtre est ouverte.

– Je suis d'accord, mais je me pose des questions. Tu penses vraiment que le carrelage noir et blanc est une piste que nous devons suivre ? Et, franchement, qu'est-ce qu'il peut y avoir d'intéressant dans l'infirmerie ?

– Laisse-moi réfléchir une seconde… Tu te souviens que, dans le moulin, il y a quatre dalles noires et quatre dalles blanches qui sont abîmées ?

– Oui, acquiesça Kumiko. Quelqu'un a essayé de les soulever. Je suis prête à parier que le visiteur mystère cherche les souterrains !

– Huit dalles séparées par huit dalles exactement, se rappela Alexa. Ce n'est pas un hasard, ça. Et si on comptait de la même façon dans l'infirmerie ?

Kumiko fronça les sourcils.

– Tu veux dire : qu'on examine toutes les neuvièmes dalles et seulement celles-là ? Mais à partir de quelle dalle il faut commencer à compter ?

– Oh... fit Alexa en grimaçant. Oui, problème... Le dallage ressemble à un échiquier parce que la pièce est carrée. Les neuvièmes dalles sont forcément sur la même ligne. Ce n'est pas le cas dans le moulin : le chemin de dalles forme une spirale.

– Voilà les filles, annonça Kumiko. Les chatons[8] vont bien ?

– Oui, répondit Idalina avec le sourire. *Rani*[9] est tout à fait remise de sa maladie. Elle aime quand Rajani la masse. Elle ronronne tout doucement, c'est adorable !

– Tiens, remarqua Naïma, ce n'est pas la voiture de l'infirmière qui s'en va ?

– Son fiancé habite dans les environs, expliqua Alexa. Je le sais parce que j'ai entendu Emma lui parler au téléphone ! Elle l'appelle « mon bébé », c'est trop marrant !

Kumiko se tourna vers Alexa.

– Alors, il n'y a plus personne dans l'infirmerie... Il fait presque nuit. On se gèle et tout le monde est au chaud à l'intérieur ! Qui pourrait nous voir ?

8. Voir Le Chat fantôme *(tome 2)* et Les Griffes du lion *(tome 3)*, *dans la même collection.*

9. Rani *(en hindi, une des langues parlées en Inde)* : reine.

— Et il faut que Jazz fasse sa promenade, ajouta Alexa. Autour du château, ce serait parfait ! Kinra Girls *forever*[10] !

Suivies de Jazz, Naïma, Alexa et Kumiko partirent en courant. Idalina et Rajani échangèrent un regard surpris.

— J'ai pas compris ! avoua Idalina.

— Elles veulent entrer dans l'infirmerie, dit Rajani. Allez ! On ne va quand même pas les laisser nous distancer ?

En riant, elles se précipitèrent à la poursuite de leurs amies. Kumiko avait raison : le parc était désert. Arrivée la première, Naïma reprit sa respiration. Du doigt, elle montra la fenêtre.

— Toujours ouverte… souffla-t-elle.

— Génial, répondit Alexa. On va t'aider à entrer.

— Qu'est-ce que je dois chercher ?

— Un signe, genre griffes du lion,

10. Forever *(en anglais) : pour toujours.* Kinra Girls forever *est le « cri de guerre » des Kinra Girls, il signifie Kinra Girls pour toujours.*

peut-être ? suggéra Kumiko.

– Je ne veux pas y aller toute seule, déclara Naïma.

– Je viens avec toi, décida Rajani. Alexa, retourne sur tes pas avec Jazz. Tu feras le guet au cas où quelqu'un aurait l'idée de se promener par ici. Kumiko et Idalina, on a besoin de vous pour nous faire la courte échelle.

Alexa appela Jazz qui se roulait dans l'herbe jaune. Le labrador, trop content de se dérouiller les pattes, courut derrière elle. Kumiko poussa le panneau de la fenêtre vers le haut. Elle croisa les doigts de ses deux mains.

– Vas-y, mets ton pied. Je vais te soulever, dit-elle à Naïma.

Naïma, en bonne acrobate, eut vite fait de se glisser par l'ouverture. Pour garder l'équilibre, Rajani s'appuya sur l'épaule d'Idalina puis imita Naïma.

– Je crois que j'ai trouvé l'interrupteur, murmura Naïma.

Rajani sursauta quand le flot de lumière illumina la pièce.

– Ne perdons pas de temps, dit-elle. Heu… Tu vois quelque chose, toi ?

– Non, répondit Naïma. Les lits et la table prennent beaucoup de place. Il faudrait les écarter.

Naïma tira un des lits et regarda derrière.

– Hé ! Il me semble qu'il y a…

Elle s'interrompit et tira un peu plus le lit.

– Dans le coin de cette dalle… Il y a une minuscule lettre gravée ! C'est un T. Il y en a d'autres sur toutes les dalles le long du mur ! Il faut avoir de bons yeux pour les remarquer.

Rajani aperçut un petit bloc et un stylo sur la table. Elle arracha une feuille.

– Je t'écoute.

– S. C'est la première. U... T... S... U...

Naïma déplaça la table qui la gênait.

– G... U... A. C'est tout.

– Huit dalles, huit lettres, constata Rajani.

On remet les meubles en place et on file.

Les Kinra Girls devaient se dépêcher. Il était presque l'heure du dîner. Kumiko n'avait pas la patience d'attendre et voulut tout de suite savoir ce que ses amies avaient trouvé.

Elle fit une drôle de tête en lisant le mot sur la feuille.

– *Sutsugua ?* Ça ne veut rien dire ! Une nouvelle énigme... Enfin, si c'était facile, il y a des siècles que quelqu'un aurait découvert le trésor du château.

– S'il y en a vraiment un, rétorqua Rajani. Ne restons pas là.

Les filles rejoignirent Alexa et la mirent rapidement au courant.

– Je ne m'étais pas trompée, dit Alexa avec satisfaction. Le dallage noir et blanc est une piste à suivre, comme les griffes du lion.

– Tu parles d'une piste ! grommela Kumiko.

Alors qu'elles montaient les marches du perron, Idalina s'écria soudain :

– Qu'on est bêtes ! Il faut lire dans l'autre sens !

– Oh, bien sûr ! s'exclama Rajani en dépliant la feuille de nouveau. Bravo, Idalina ! Ça ne commence pas par le S mais par le A ! A... U... G... Augustus. Ça ressemble à du latin.

– C'est un nom, dit Naïma. Un nom !

– C'est plus que ça, conclut Kumiko en souriant. C'est un indice !

Ruby est prête à tout pour gagner !

Lorsque Rajani sortit de la salle de bains, Kumiko n'était plus là. Les deux colocataires avaient un peu de mal à vivre ensemble. Elles s'étaient même disputées parfois. Rajani réfléchit mais non, elle ne voyait pas pourquoi Kumiko était partie sans elle. Ces derniers jours, tout se passait très bien entre elles.

Alors que Rajani rassemblait ses affaires

de classe, Kumiko entra, une main derrière le dos.

— Où étais-tu ? demanda Rajani.

Kumiko ne répondit pas et s'approcha de son amie. Brusquement, elle tendit sa main cachée à Rajani. Elle tenait un bouquet de feuilles, d'herbes et de fleurs sauvages.

— Pour le vase de ton papa ! dit joyeusement Kumiko.

L'émotion serra la gorge de Rajani. Elle ne put empêcher les larmes de couler.

— J'ai dû t'échanger contre Idalina sans m'en apercevoir, plaisanta Kumiko.

Tu pleures tout le temps en ce moment ! Rajani se jeta au cou de la Japonaise pour l'embrasser.

— Tu ne pouvais pas m'offrir plus beau cadeau !

— Je suis d'accord ! rit Kumiko. Il n'y a plus beaucoup de fleurs en cette saison !

J'ai bien galéré ! Allez, va les mettre
dans l'eau.

Rajani prit le vase et disparut dans la salle
de bains. Kumiko était assez contente d'elle.

– Voilà, dit Rajani en posant le vase sur
son bureau. Maintenant, je me sens
vraiment chez moi !

On frappa quatre coups et ensuite deux à
leur porte. Kumiko sourit. Ça, c'était Alexa !
Elle lui ouvrit. Alexa protesta quand Naïma,
qui la suivait de près, la poussa dans la
chambre.

– Oh quel joli bouquet ! admira Idalina,
arrivée la dernière.

– On a eu une idée, Idalina et moi,
expliqua Naïma. Pour la pantomime.
Les contes des *Mille et Une Nuits* !

– J'adore ! s'écria Kumiko. J'imagine
déjà les costumes que je vais fabriquer…
et les décors ! Oh oui ! J'adore !

– Je pense qu'il faut choisir un seul conte, remarqua Rajani. Restons modestes !

– *Ali Baba et les quarante voleurs ?* suggéra Alexa. *Sindbad le marin ?*

– *Aladin !* dit Rajani.

– Oui, celui-ci ! approuva Naïma. J'aime beaucoup *Aladin.*

– On ira à la salle multimédia après les cours, proposa Idalina. On trouvera le texte sur Internet. Ensuite, il faudra écrire un petit résumé de l'histoire et expliquer ce que c'est qu'une pantomime. Et peut-être donner quelques exemples de scènes. J'espère que ça plaira à Mme Beckett.

– Ce n'est pas Mme Beckett, le problème, répondit Alexa. J'ai entendu Michelle parler avec Ruby. Les pestes ont aussi une idée de spectacle.

– Tu sais ce que c'est ? demanda Naïma.

– Non. Mais si j'ai bien compris, les élèves voteront pour le projet qu'ils préfèrent. Ce n'est pas Mme Beckett qui décide.

– On parlera de tout ça ce soir, dit Rajani. On va finir par être en retard, les filles.

– Oh zut, le premier cours, c'est celui de M. Brown, râla Alexa.

– Essaie de ne pas t'endormir, pour changer ! répondit Kumiko en riant.

– J'y peux rien. Suffit que j'entende le mot « maths » et mes yeux se ferment !

Les Kinra Girls descendirent au réfectoire pour prendre leur petit déjeuner. Mickael et Johannis, les inséparables, leur firent signe de s'installer à leur table.

– Vous allez pas le croire ! dit Mickael. Ruby a eu le culot de venir nous demander de voter pour son idée de spectacle !

– Quoi ? s'exclama Rajani, indignée.

Mais elle n'a pas le droit de faire ça !

– Attends la suite ! Elle a dit qu'elle nous donnerait les meilleurs rôles. Johannis a répondu qu'il ne voulait pas de rôle du tout ! Alors, elle a dit que si c'était elle qui gagnait, Johannis serait son assistant metteur en scène et qu'il n'aurait rien à faire !

– Comme si j'avais envie de traîner en compagnie de Ruby ! ricana Johannis.

– Qu'est-ce qu'elle a raconté sur son projet ? s'informa Naïma.

– Elle n'a pas voulu nous en parler, répondit Mickael. Tout ce que je sais, c'est qu'il y a beaucoup de personnages.

Alexa remarqua que Ruby passait de table en table et discutait avec les élèves de leur classe.

– Regardez, je vous parie qu'elle promet le meilleur rôle à tout le monde !

– C'est écœurant, grimaça Kumiko.

– J'espère que quelqu'un d'autre va faire

une proposition, déclara Johannis.

– Ben oui : nous ! dit Idalina.

Mickael posa les deux poings sous son menton et sourit à Idalina.

– Ordonne, princesse, et mon vote est pour toi !

Idalina rougit jusqu'aux oreilles.

Alexa se leva soudain.

– Les pestes viennent de sortir. Je vais discuter avec Louise. Elle est dans mon équipe d'équitation.

Les élèves commençaient à quitter le réfectoire. Alexa alla s'asseoir à côté de Louise qui finissait sa tartine.

– Salut ! Je suis curieuse : que te voulait Ruby ?

Louise tourna sa cuillère dans son bol d'un air pensif.

– Ce n'est pas ta copine, insista Alexa. La plupart du temps, elle fait comme si tu n'existais pas. Et là, brusquement, elle te trouve intéressante ?

– Je la déteste, répondit Louise.

– Moi aussi. Elle est venue te demander de voter pour elle, n'est-ce pas ?

– Oui. Tu te rends compte qu'elle m'a offert tout ce que je voulais en échange ?

– Ça ne m'étonne pas. T'as dit quoi ?

– D'accord si tu me donnes ton pull bleu.

– Non ? s'écria Alexa. Ruby a accepté ?

– Le pull est un cadeau de son papa chéri,

alors non, ça, ce n'était pas possible...
Louise plongea la main dans son sac. Elle
montra plusieurs petits bracelets dorés.

– Voilà ce que j'ai eu ! Il y en a la moitié
de cassés ! Assez bon pour moi, j'imagine.

– Tu l'as remerciée, j'espère ! plaisanta
Alexa.

– Oh mais oui ! Ce qui me fait bien
rigoler, c'est que Ruby est persuadée
qu'elle a acheté mon vote avec ces
saletés. Elle me prend vraiment pour
une idiote.

– Ouais... Malheureusement, ça pourrait
marcher avec quelqu'un d'autre...

***

Jusqu'au vendredi, les Kinra Girls
travaillèrent sur leur spectacle. Alexa, un
peu moins que ses amies... Elle attendait le
week-end avec impatience. Le nom gravé

sur les dalles de l'infirmerie était une piste à suivre. Ce n'était pas en restant dans leur chambre qu'elles allaient découvrir quelque chose ! Alexa avait hâte de reprendre l'exploration du moulin et du village abandonné.

Enfin vint le moment de présenter le projet à la classe. Mme Beckett laissa d'abord la parole à un garçon qui proposa d'adapter un manga en pièce de théâtre. Il n'avait rien préparé et se contenta de montrer la bande dessinée. Le professeur d'anglais lui reprocha son manque de sérieux. Naïma passa ensuite. Elle raconta rapidement l'histoire d'Aladin et de la lampe merveilleuse puis expliqua ce qu'était une pantomime.

— Et comme on n'a pas besoin de parler, conclut-elle, on peut jouer même si on n'est pas comédien. C'est plus facile si on est timide...

Mme Beckett la remercia et invita Ruby à monter sur l'estrade. À la façon dont elle regardait tout le monde, c'était évident qu'elle était sûre de gagner. Elle s'éclaircit la gorge.

– Je souhaite monter le ballet *Casse-Noisette*[11]. Beaucoup d'entre vous ne savent pas danser, bien sûr. Alors, il y aura une partie avec des dialogues et une partie avec de la danse et de la musique. Dans *Casse-Noisette*, il y a un grand nombre de personnages, alors tout le monde pourra participer.

Ruby donna encore quelques précisions. Puis elle lut une scène qu'elle avait elle-même écrite, le combat entre Casse-Noisette et le Roi des souris. Enfin, elle montra des photos prises pendant une représentation du ballet.

– Très bien, complimenta Mme Beckett. Maintenant, vous allez voter à bulletin secret. Prenez une feuille. Choisissez entre « Manga », « Aladin » et « Casse-Noisette ».

Rajani était un peu troublée. Elle avait cru jusqu'à présent que leur projet serait le

---

11. Casse-Noisette *est un ballet très célèbre inspiré d'un conte d'Hoffmann et sur une musique de Tchaïkovski. Il a été créé en 1892.*

meilleur. Mais il fallait reconnaître que celui de Ruby était loin d'être mauvais…

Mme Beckett fit passer un chapeau dans les rangs. Chaque élève y déposa son bulletin. Puis Mme Beckett récupéra le chapeau et commença à compter. Il y avait vingt élèves dans la classe. Quand on arriva à un vote pour le manga, neuf votes pour *Aladin* et neuf pour *Casse-Noisette,* Naïma retint son souffle. Lentement, Mme Beckett déplia le dernier bulletin.

– *Aladin,* annonça-t-elle.

Kumiko se tourna vers Ruby. La tête que faisait celle-ci à ce moment-là ! C'était trop drôle.

– Je demande à recompter les votes ! cria Ruby.

– C'est votre droit, miss Prentice, répondit le professeur d'anglais. Je vous en prie. Mais il n'y a pas d'erreur. À partir de la semaine prochaine, vous préparerez votre spectacle pendant mon cours, tous les lundis.

– Génial ! s'exclama Mickael.

– Un peu de silence ! Et contrairement à ce que certains pensent, un spectacle représente énormément de travail…

Ruby examinait les écritures en vérifiant les votes. Quelqu'un l'avait trahie et elle voulait savoir qui ! À la fin du cours, les trois pestes se retrouvèrent dans le couloir.

– C'est dommage, commenta Michelle. Ton projet était super !

– La ferme, rétorqua Ruby, je réfléchis ! Sept élèves m'ont promis de voter pour moi. Avec nous, ça faisait dix ! J'aurais dû gagner ! Ouais, plus j'y pense et plus je suis sûre que c'est cette Louise qui m'a menti… Pas étonnant, c'est une sportive. Tous des imbéciles, les sportifs !

– Je joue au tennis, remarqua Jennifer.

– C'est bien la preuve ! cracha Ruby.

– Hé ! protesta Michelle. On comprend que tu sois déçue mais c'est pas notre faute, à nous !

– Oui, bon… répondit Ruby, plus calmement. Désolée, Jenny, je ne voulais pas t'insulter.

Ruby se mordilla les lèvres. Elle n'allait pas accepter la défaite aussi facilement.

– Maintenant, c'est la guerre… murmura-t-elle.

Et elle ne parlait pas de la guerre entre Casse-Noisette et le Roi des souris.

Chapitre 5
Un très vieux cimetière

I dalina avait un cours de guitare le samedi matin. En attendant son retour, Naïma, Rajani et Kumiko travaillaient sur leur spectacle de classe. Rajani lisait l'histoire d'Aladin qu'elle avait trouvée dans la bibliothèque.

— Ça, c'est drôle ! s'exclama Rajani. Dans ce livre, Aladin est chinois !

— Ah bon ? s'étonna Naïma. Pourtant j'ai vu sur Internet que *Les Mille et Une Nuits* étaient des contes très anciens venus d'Inde et de Perse.

– C'est vrai, acquiesça Rajani. Mais l'histoire se passe dans une Chine imaginaire. La preuve, il y a un sultan ! Il n'y a jamais eu de sultan chinois, pour autant que je sache.

– On devrait donner le rôle d'Aladin à Kumiko, plaisanta Naïma.

– Un : je suis japonaise, deux : je suis une fille ! répliqua Kumiko. Et trois : je ne suis pas comédienne !

Alexa frappa à la porte et entra.

– Que te voulait Miss Daisy ? s'informa Rajani.

– Un paquet est arrivé pour moi. Elle a pensé que ce n'était pas sympa de me faire attendre jusqu'à mardi pour me le donner ! Vous parliez de quoi ?

Alexa posa un sac en toile sur le bureau

d'Idalina. Naïma lui montra le livre pris
à la bibliothèque.

– C'est où la Perse ? dit soudain Kumiko.

– Ah ça, je sais ! s'exclama Alexa. C'est
l'ancien nom de l'Iran. Et je connais parce
que ma grand-mère joue au polo !

– Je ne vois vraiment pas le rapport,
répondit Kumiko.

– Ah mais si ! Le polo a été inventé en
Perse il y a très, très longtemps…

– C'est quoi, le polo ? demanda Naïma.

– Le polo est le plus ancien sport
équestre au monde, expliqua Alexa. En
Perse, c'était même le sport préféré des
rois et des reines. On joue par équipes
de quatre cavaliers. Pour marquer des
points, il faut envoyer une balle entre
des buts en la tapant avec un maillet,
c'est une sorte de marteau avec un très
long manche. J'ai souvent aidé ma grand-

mère à se préparer avant les matchs. Il
faut tresser la queue des chevaux parce
qu'elle risque de s'emmêler dans le
manche du maillet. Moi, je n'aime pas
trop le polo. C'est un sport qui fatigue
les chevaux et ils sont souvent blessés
par les coups de maillet.

– En Inde aussi on joue au polo, ajouta
Rajani.

– Tu ne nous as pas dit ce qu'il y avait
dans ton paquet, Alexa, remarqua
Kumiko.

Alexa sourit puis ouvrit son sac à dos.
Elle en sortit des morceaux de pain,
un pot rempli d'une pâte brune et
une cuillère en plastique.

– Idalina a partagé avec nous ses délicieux
biscuits espagnols, dit Alexa. Alors,
j'ai eu l'idée de demander à ma mère
de m'envoyer un pot de *Vegemite*

pour que vous puissiez goûter une
spécialité de mon pays. Je suis passée
à la cuisine pour prendre du pain.
La *Vegemite*, c'est fait pour les tartines !
– Humm ! se réjouit Naïma, la gourmande.
Super idée !
Kumiko regarda la pâte qu'Alexa étalait avec
la cuillère sur le pain. Elle plissa le nez.
– C'est quoi, exactement ? Ça a une
odeur, heu… un peu bizarre.
– C'est excellent pour la santé ! répondit
Alexa. Il y a plein de vitamines dedans !
Alexa donna une tartine à chacune et
mordit dans la sienne avec enthousiasme.
Naïma et Rajani suivirent son exemple.
Kumiko, plus prudente, se contenta de
grignoter un tout petit morceau. Naïma
ouvrit des yeux ronds et se jeta sur sa
bouteille d'eau. Elle but de travers et toussa.
Rajani devint verte et avala précipitamment.

– Iiiiiiiiaaaaaaaaaaa ! hurla Kumiko.

Mais c'est immonde !

Alexa partit d'un grand éclat de rire.

– Ouais, ça surprend la première fois !
Pourtant, je vous jure que les Australiens
adorent !

– Vous avez de drôles de goûts ! remarqua
Rajani. Qu'est-ce qu'il y a, là-dedans ?

– C'est fait avec de la levure de bière et
des arômes de légumes. C'est délicieux
avec du fromage.

– Du fromage ! s'écria Naïma. Rien que
d'imaginer à quoi peut bien ressembler
le mélange, j'ai envie de vomir !

– Merci pour l'expérience, dit Rajani,
finalement amusée. Maintenant, je sais
ce qu'il ne faut surtout pas manger
en Australie !

Kumiko proposa de préparer une tartine
pour Idalina.

– Y a pas de raison qu'elle y échappe !
ricana-t-elle.

Un quart d'heure plus tard, Idalina revenait
de son cours de guitare. Et cinq minutes
après, elle se précipitait dans la salle de
bains pour cracher son morceau de pain
dans les toilettes.

– Et ça vous fait rire ! protesta-t-elle,
de retour dans la chambre.

– On y a toutes eu droit ! répliqua Naïma.
Heureusement, c'est l'heure du déjeuner.
J'espère qu'il y a de la glace au chocolat.
Il me faut au moins ça pour oublier
cette horreur !

Il n'y avait pas de glace au chocolat. Naïma
se consola avec un *cupcake* à la vanille. Les
cupcakes sont des petits gâteaux américains,
recouverts d'un épais glaçage. Naïma aimait
surtout ceux décorés de confettis en sucre
de toutes les couleurs.

– Il ne pleut pas aujourd'hui, constata
Rajani. C'est une chance à saisir.

– À quoi tu penses ? demanda Kumiko.

– À Jazz, répondit Rajani en souriant.
On pourrait l'emmener jusqu'au village
abandonné.

– Oui, approuva Naïma. Je crois qu'une
visite de l'église s'impose. Histoire de voir
quel genre de carrelage s'y trouve…
Tu ne veux plus de ton dessert, Idalina ?
Idalina poussa sa coupe de fruits au sirop
vers Naïma.

– Tu me rappelles mon frère, dit Alexa
en se levant. Toujours à finir les assiettes
des autres !

– Maman m'a appris à ne pas gâcher
la nourriture, rétorqua Naïma.
Alexa partit chercher le chien du directeur.
Jazz était dans le bureau de Miss Daisy, assis
face à la porte.

– Il t'attend ! remarqua Miss Daisy. J'ignore comment il sait que c'est le week-end et qu'il a droit à une longue promenade. Mais il le sait !

– Il est intelligent. Hein, mon gros, que tu es le plus malin ?

Le labrador s'approcha d'Alexa en remuant la queue. Alexa ne prit pas sa laisse. Jazz avait besoin d'exercice. La grande pelouse devant le château lui offrait un merveilleux terrain pour se défouler. Les Kinra Girls en profitèrent, elles aussi, pour courir jusqu'à la forêt.

– Ah ! cria Rajani, en reprenant sa respiration. Ça fait un bien fou !

Où est le chemin qui mène au village ? Naïma se souvenait de la direction à prendre et entra la première dans le bois. Kumiko traînait derrière. Elle photographiait les écorces d'arbre de très près. Idalina

lui demanda pourquoi elle trouvait
ça intéressant. Kumiko lui montra sur
l'écran de son appareil. Idalina poussa une
exclamation.

 – C'est super beau ! On dirait des
 tableaux abstraits !

 – Exactement. J'adore !

Ensuite, Kumiko s'attarda au bord de la
rivière pour photographier des cailloux.
Alexa lui cria de se presser un peu. Il
ne pleuvait pas pour l'instant, mais ça
n'allait peut-être pas durer. Les nuages,
d'une couleur guère rassurante, défilaient
rapidement. Le ciel passait du bleu pâle au
gris à une vitesse impressionnante.

À l'arrêt sur le pont devant le vieux moulin,
Jazz reniflait l'air.

 – Est-ce qu'il sent le visiteur mystère
 comme la dernière fois ? s'inquiéta
 Rajani.

– Non, répondit Alexa. Si c'était le cas,
Jazz aurait le nez au sol. Je crois qu'il sent
le changement de temps et ça ne lui plaît
pas trop…

– Dépêchons-nous, proposa Naïma.
Tiens ? Est-ce que ça n'est pas une route
là-bas ?

– Ce qu'il en reste, en fait, dit Idalina qui
était partie devant.

La route pavée était défoncée et creusée de
profonds trous boueux. Il y avait sans doute
bien longtemps qu'elle ne servait plus.

– Village, c'est un grand mot ! constata
Rajani, les poings sur les hanches. Il n'a
pas beaucoup de maisons. Enfin, des
maisons… plutôt des ruines ! L'église
semble en bon état.

Elles continuèrent la route jusqu'à la petite
église. Kumiko essaya de tourner le gros
anneau en fer au milieu de la porte en bois.

– C'est fermé ! annonça-t-elle, déçue.

Il y a une serrure mais sans la clé…

Impossible d'entrer par les fenêtres.

Elles sont trop hautes et très étroites.

Vous avez vu ? Il n'y a même pas de vitres !

Cette chapelle doit être vraiment

ancienne.

Idalina se tourna vers Naïma. Son amie
faisait une drôle de tête.

– Qu'est-ce qu'il y a ? demanda-t-elle.

Sans un mot, Naïma pointa le doigt. Idalina
fronça les sourcils.

– Le cimetière ?

– C'est la maison des morts ! s'exclama
Naïma.

Alexa se mit à rire.

– Quoi ? Tu as peur ?

– Ce n'est pas sympa de te moquer de
moi ! se fâcha Naïma. Au Bénin, on
croit que les morts ne sont pas morts.

Ils sont toujours là et on leur doit le respect. Tous les soirs, ma maman laisse une casserole ou un plat avec un peu de sauce ou de pâte de maïs. C'est pour faire plaisir aux ancêtres et leur montrer qu'on ne les oublie pas. Je n'aime pas les cimetières parce qu'il y a des morts à qui personne ne pense jamais. Ça peut les rendre méchants.

– Chez moi, c'est comme au Bénin, dit Kumiko, on vénère les ancêtres. Quand quelqu'un meurt, on écrit son nom sur une tablette et on la pose sur un autel dans la maison. On met des fleurs ou un bol avec de la nourriture.

– Il est abandonné depuis longtemps, ce cimetière, remarqua Idalina. C'est triste... Et si on cueillait des fleurs pour les tombes ?

– Ça ne va pas être facile d'en trouver !

répondit Alexa. Et mais... Dans l'herbe, là-bas, j'aperçois plein de champignons blancs ! Ça plairait aux ancêtres ?

– J'adore ! s'écria Kumiko. Ils sont tout mignons ! On pourrait même fabriquer un genre de petit nid avec des feuilles et mettre un champignon au milieu !

Les Kinra Girls enjambèrent les pierres qui bordaient la route, sans doute les restes d'un mur qui entourait un champ. Rajani conseilla à tout le monde de ne pas se lécher les doigts ni se frotter les yeux. On ne savait pas si les champignons étaient comestibles, alors il fallait être prudentes. Les Kinra Girls passèrent un bon moment à en entortiller des brindilles et à les décorer avec des feuilles. La tête blanche des champignons au centre du « petit nid » faisait ressortir les couleurs d'or et de rubis des feuillages.

– C'est ravissant, dit Rajani avec satisfaction.

Qui a peur des fantômes ?

J'espère qu'il y en a suffisamment...
Alexa enleva sa parka. Les Kinra Girls
y empilèrent leurs offrandes. Elles se
regardèrent en silence. Puis leurs yeux
se tournèrent vers le cimetière.

Augustus a des choses à dire

On aurait dû emmener mon pot de *Vegemite* pour l'offrir aux ancêtres, plaisanta Alexa. Rajani et Idalina furent prises d'un fou rire nerveux.

– Tu veux vraiment les mettre en colère ? répondit Kumiko en riant à moitié.

– Hé ! protesta Naïma. Les ancêtres n'aiment pas qu'on se moque d'eux !

– On n'a plus le sens de l'humour quand on est mort ? demanda Alexa.

– Tu devrais être plus respectueuse, dit Naïma.

Alexa haussa les épaules.

– En Inde, expliqua Rajani, on croit à la réincarnation.

– C'est quoi ? demanda Idalina.

– Eh bien, l'âme, qu'on appelle *atman*, sort du corps quand on meurt. Si on a fait de vilaines choses pendant sa vie, l'âme est obligée de revivre dans un nouveau corps. C'est ça, la réincarnation. Et ça recommence tout le temps jusqu'à ce qu'on soit devenu une bonne personne. Alors, on a le droit d'aller dans une sorte de paradis où l'on vit comme un dieu. Les gens se réincarnent parfois en animal.

– Alexa a dû être crocodile avant, commenta Naïma.

– Moi, dit Idalina, je crois au bon Dieu, aux anges et au paradis. Et toi, Alexa ?

– Les Aborigènes[12] croient qu'après la mort on va dans le *Dowie*. C'est un genre de paradis mais qui ressemble beaucoup à la Terre. La différence, c'est que tout est plus beau, toutes les créatures sont plus intelligentes. Et puis, il suffit que tu penses à quelque chose pour l'avoir. Tu veux une maison ? Tu y penses et elle est là ! Je ne suis pas aborigène, mais j'aime leur façon de voir les choses.

Idalina déposa son offrande sur une tombe puis eut l'air très triste tout d'un coup.

– Oh... Il y a un enfant de 3 ans enterré ici, dit-elle. C'est affreux.

Rajani proposa de se séparer pour aller plus vite. Le ciel devenait menaçant. Naïma resta près d'Idalina. Elle ne voulait pas se

12. Aborigènes : *premiers habitants d'un territoire. On pense que les Aborigènes d'Australie sont arrivés dans ce pays il y a au moins quarante mille ans.*

retrouver toute seule. Soudain, Kumiko
poussa une exclamation et fit signe
aux autres de la rejoindre.

    – Regardez ! Augustus Lo… Love ?
En réalité, sur la pierre tombale était écrit :
« Augustus Löwe.
1713-1784 ».
Et au-dessous du nom :
« *Quia nominor leo* ».

    – Zut, râla Alexa. Du latin ! Au moins,
on est sûres que *leo*, c'est le lion !
    – Lion… répéta Idalina, pensivement.
Oh oui ! Ça ne se prononce pas « Love »,
Kumiko, c'est « Leuveu » qu'il faut dire !
C'est de l'allemand ! *Löwe*, ça signifie
« lion » !

— Tu parles allemand ? s'étonna Rajani.

— Pas vraiment, répondit Idalina. Mais je veux devenir une artiste internationale, alors c'est important de connaître plusieurs langues. Et comme j'adore les bêtes, j'ai commencé en apprenant les noms des animaux.

— Tu ne parles pas le latin, par chance ? demanda Alexa.

— Ben… c'est pas très utile, le latin…

— C'est forcément notre Augustus, remarqua Kumiko en prenant une photo. Ça ne peut pas être un hasard s'il s'appelle Lion !

Elle fit le tour de la tombe et s'écria :

— Venez voir ça ! Sur ce côté-là de la pierre, il y a un dessin ! Oh, c'est… c'est comme dans le moulin[13] !

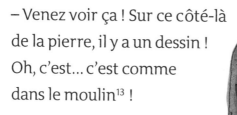

13. *Voir* Les Griffes du lion *(tome 3), dans la même collection.*

Il n'y avait aucun doute : on avait gravé une spirale de cases noires et blanches exactement comme le dallage du moulin abandonné.

— Soixante-quatre cases… compta Rajani. Il y a des lettres dans toutes les neuvièmes cases. J… U… S…

— Le visiteur mystère ! s'exclama Alexa. Il a vu le dessin sur la tombe d'Augustus ! C'est pour ça qu'il a essayé de soulever toutes les neuvièmes dalles du moulin !

— Le visiteur mystère a pensé qu'il y avait peut-être quelque chose sous celles-là, supposa Rajani. J'ai l'impression qu'il s'est trompé. Il n'a rien trouvé.

— Le mot gravé, c'est « *justitia* », annonça Naïma. Je parie que c'est encore du latin.

— Ça ressemble beaucoup à *justicia*, dit Idalina. « *Justice* », en espagnol.

— Il faut absolument qu'on fasse des

recherches sur le château et sur
Augustus, déclara Rajani. Dommage que
la bibliothèque soit fermée aujourd'hui.

– La salle multimédia reste ouverte
le samedi, répondit Naïma. Allons-y !

Les Kinra Girls étaient toutes d'accord.
Elles se dépêchèrent de poser leurs derniers
nids de feuilles et de champignons sur les
tombes. Jazz avait été très patient jusque-là.
Il se défoula en se roulant dans la boue du
chemin. Les filles eurent du mal à le suivre
quand il décida de courir à travers la forêt.
Alexa avait beau lui crier après, le labrador
n'en faisait qu'à sa tête.

– Je n'ai aucune autorité sur ce chien !
se désespéra Alexa.

Comme s'il avait compris qu'il exagérait, Jazz
revint sur ses pas. Il lécha les mains de son
amie en remuant la queue. Alexa rit et
le gratta derrière les oreilles.

Miss Daisy, en revanche, ne rit pas en récupérant le chien. Un peu ennuyée, Alexa proposa de laver Jazz. Miss Daisy lui souhaita bon courage. Alexa emmena le labrador dans le local au sous-sol. Entre les machines à laver et les planches à repasser, il y avait une grande bassine spécialement prévue pour Jazz. Alexa la remplit à moitié d'eau tiède. Et, évidemment, Jazz sauta dedans et éclaboussa partout.

— Hé! Merci! Je suis mouillée maintenant! Mais arrête!

Un quart d'heure plus tard, Jazz était propre, brossé, sec et content. Alexa, quant à elle, était sale, décoiffée, trempée et pas contente du tout. Miss Daisy lui fit un grand sourire.

— Ah! Tu vois comme c'est amusant! Peut-être que la prochaine fois tu ne le laisseras pas jouer dans la boue!

— Autant essayer de dresser un crocodile

à donner la « papatte », répondit Alexa.
Bon, bah, j'ai plus qu'à changer de
vêtements, moi...

Pendant qu'Alexa s'occupait de Jazz,
ses amies s'étaient rendues à la salle
multimédia. Kumiko montra la photo de la
tombe d'Augustus à Rajani. Ce n'était pas
très facile de déchiffrer l'inscription sur le
petit écran de l'appareil. Rajani tapa sur le
clavier d'un ordinateur : « *Quia nominor leo* ».
La traduction apparut aussitôt.

    – « *Parce que je m'appelle lion* », lut
Naïma.

    – Alors ça, c'est vraiment nul ! se fâcha
Kumiko. On le sait qu'Augustus s'appelle
lion !

    – Peut-être que ce n'est pas ça l'important,
remarqua Idalina. « *Parce que* je m'appelle
lion ». Je crois que c'est le « parce que »
qui est important.

— C'est possible, admit Rajani.

Mais qu'est-ce que ça signifie ?

— Augustus était obsédé par les lions,
dit Naïma. Il en a mis partout !

— Seulement parce que c'était son nom ?
supposa Kumiko. Oui, c'était peut-être
une façon de laisser un indice après
sa mort. Suivez la piste du lion et vous
trouverez mon trésor !

— Augustus nous a laissé bien plus que
ça, dit Idalina. La marelle du moulin...
le dallage de l'infirmerie... le dessin
sur sa tombe... et sûrement d'autres
choses encore.

Prise d'une soudaine inspiration, Rajani tapa
sur le clavier de l'ordinateur. Naïma poussa
une exclamation de surprise. Car voici ce
que les filles virent s'afficher sur l'écran :
Augustus Löwe (1713-1784).
Bien que le mystère entoure cet étrange

personnage, on admet généralement
qu'Augustus Löwe est né en Allemagne. On
ignore tout de lui jusqu'aux années 1740 où
A. Löwe se rend propriétaire de la Tour Carrée,
vestige d'un château fort datant du xie siècle.
Augustus fit détruire la tour et construire sur le
lieu même un magnifique château d'une taille
pour le moins imposante. De toute évidence,

A. Löwe était immensément riche. Déjà, à son époque, les gens s'interrogeaient sur l'origine de la fortune de cet étranger. Les rumeurs allaient bon train sur le compte d'Augustus Löwe. Il faut reconnaître que son mode de vie avait de quoi intriguer. Augustus ne sortait pratiquement jamais de son gigantesque château où il vivait seul. On peut se demander pourquoi il avait fait construire un aussi grand bâtiment pour lui tout seul. On rapporte que, la nuit, Augustus tenait des réunions secrètes avec de mystérieux visiteurs. L'été 1784 (la date précise est inconnue), le corps d'Augustus fut découvert gisant près de la rivière. Il semble être mort de causes naturelles. Il avait 71 ans. Mais que faisait-il là, lui qui vivait cloîtré dans son château ? Une nouvelle énigme sans réponse. Augustus Löwe n'avait pas d'héritier. Il avait légué, par testament, son domaine au curé du village. Ce brave homme transforma le château *en hôpital pour les pauvres. À la fin du XIXe siècle, le château d'Augustus Löwe fut vendu à un particulier. À l'heure actuelle, le château est le siège de l'Académie internationale Bergström.*

– C'est intéressant, mais ça ne nous aide pas beaucoup, remarqua Naïma.

– On ne parle pas du chat fantôme, commenta Idalina, déçue.

– Peut-être que ce n'était pas le chat d'Augustus, répondit Rajani. Relisez : *À la fin du XIXe siècle, le château fut vendu à un particulier.* Et c'était qui, « le particulier » ?

– Manquerait plus que celui-là s'appelle Lion en italien ! plaisanta Kumiko.

Chapitre 7

Michelle joue un bien vilain tour

On avait échappé à la pluie, le samedi. Hélas, le ciel prit sa revanche le lendemain. Les averses de l'après-midi succédèrent aux orages de la matinée. La nuit ne vit aucune amélioration. Et le lundi, il pleuvait toujours. Seule éclaircie du jour : le cours de Mme Beckett. Comme prévu, on commença à préparer le spectacle avec le professeur d'anglais. Mme Beckett partagea la classe en différents groupes. Rajani se retrouva avec Ruby dans celui qui devait s'occuper des numéros de danse. Kumiko, pour son plus grand plaisir, fut désignée chef de l'équipe « décors ». Idalina, logiquement, faisait partie du groupe « chant ». Alexa et Naïma apprécièrent d'être ensemble pour travailler sur les numéros de cirque. Mme Beckett annonça que, bien sûr, les élèves recevraient l'assistance de certains professeurs, surtout ceux qui enseignaient la danse, la comédie et le chant.

Une demi-heure avant la fin du cours, une très jolie femme brune entra dans la salle.

— Pour ceux qui ne la connaîtraient pas encore, dit Mme Beckett, je vous présente Mme Ganz, notre professeur d'art dramatique. À partir de la semaine prochaine, elle viendra écrire avec

nous l'histoire d'Aladin que nous
allons développer sous la forme d'une
pantomime. Croyez-moi, son aide sera
des plus précieuses !

– Merci, Concordia, répondit Mme Ganz.
Si ça ne vous ennuie pas, j'aimerais
kidnapper quelques-uns de vos élèves.
Il me semble que ce serait une bonne
idée d'aller faire un premier tri dans
notre réserve de costumes.

Toutes les mains se levèrent aussitôt.

– Bien, approuva Mme Beckett. Alors…
Michelle, Sarah, John, Idalina…

Le professeur d'anglais désigna encore
quelques élèves. Un murmure de déception
parcourut la salle.

– Allons, allons, dit Mme Beckett,
vous aurez d'autres occasions de visiter
le grenier !

– Le grenier ? s'étonna Naïma.

– C'est là où nous gardons les costumes,
les accessoires et les anciens décors,
expliqua Mme Ganz. Et puisque
nous sommes dans les contes des
Mille et Une Nuits, j'oserai appeler
notre grenier : la caverne d'Ali Baba !
Maintenant, suivez-moi, mes enfants !

Idalina était très contente d'avoir été
choisie. Le petit groupe monta jusqu'à l'étage
où les adultes étaient logés, puis se dirigea
vers un petit escalier au fond du couloir.

La porte du grenier était barrée par
un énorme verrou. Mme Ganz le souleva
et alluma la lumière.

– Ooooh ! firent en chœur les élèves.

La réserve était à la mesure du château :
gigantesque. Partout, il y avait des malles, des
armoires, des toiles peintes, de faux meubles
en carton…

– De quoi s'amuser, n'est-ce pas ? dit

Mme Ganz en riant. Cherchez tous les vêtements qui pourraient convenir à notre histoire. Mettez-les dans ce coin-là. Ce n'est qu'une première sélection.

Il faut bien commencer quelque part !

Ravis, les enfants se plongèrent avec bonheur dans les malles et les armoires. Michelle s'éloigna un peu, attirée par une porte sculptée. Elle essaya de l'ouvrir, mais elle était verrouillée.

– Qu'y a-t-il là, madame ? demanda-t-elle.

Le professeur haussa les épaules.

– Je ne sais pas trop. Un débarras, sans doute. Va voir de ce côté, il y a une grande penderie, le long du mur. Tu y trouveras sûrement des choses intéressantes.

Michelle obéit. Mme Ganz avait raison. Il y avait de véritables trésors dans cette penderie ! Idalina s'intéressa au contenu

d'une grosse malle en bois sombre.

À l'intérieur, elle découvrit des épées,

des pistolets et même des carabines. Ils

ressemblaient à des vrais à s'y tromper.

Pourtant, ce n'étaient que des accessoires de

théâtre. Le temps passait vite et un élève fit

remarquer que c'était l'heure du déjeuner.

Mme Ganz donna le signal du départ.

Idalina ne l'entendit pas. Elle était occupée

à remettre en place de belles robes dignes

d'une princesse. Ses camarades les avaient

sorties des armoires et les avaient laissées

par terre ! Le genre de comportement

qu'Idalina ne supportait pas. Quand on

dérange, on range !

— Le dernier éteint la lumière,

dit Mme Ganz en sortant.

Et le dernier en question était une dernière...

Michelle regarda le petit groupe devant elle.

Les élèves se précipitaient dans l'escalier.

Mme Ganz leur demanda d'arrêter de faire les fous, sans grand succès. Michelle avait remarqué qu'il manquait quelqu'un. Elle se retourna. Pas d'Idalina en vue... Elle attendit quelques secondes. Puis elle appuya sur l'interrupteur, ferma rapidement la porte et poussa le verrou. Un sourire sur les lèvres, elle dévala les marches et rattrapa les autres qui étaient déjà loin. Mme Ganz discutait avec John qui travaillait dans sa classe.

Michelle se mêla aussitôt à la conversation, histoire de distraire le professeur. Mme Ganz ne s'aperçut pas qu'une des élèves manquait à l'appel. Ce n'était pas tout à fait sa faute : la plupart des enfants étaient partis en courant et Mme Ganz ne les voyait plus.

Michelle se frotta les mains. Ruby allait adorer ! Et peut-être qu'elle leur lâcherait un peu les baskets, à Jennifer et à elle. Depuis qu'elle avait perdu le concours pour le spectacle, Ruby était d'une humeur massacrante. Et puis, c'était super drôle d'avoir enfermé cette pleurnicheuse d'Espagnole ! À parier qu'elle était déjà en train d'appeler sa maman !

Michelle avait tort. Idalina ne pleurait pas. Quand la lumière s'était brusquement éteinte, elle avait surtout été surprise. Fort heureusement, il y avait quelques fenêtres dans le toit. Idalina n'était pas dans le noir complet, même s'il ne faisait pas très clair.

    – Hé ! cria-t-elle. La lumière, s'il vous plaît !

Pas de réponse. Quand elle comprit qu'elle était toute seule, Idalina se dirigea vers la sortie et, évidemment, trouva porte close.

Elle frappa sur le battant en appelant. Mais à ce moment-là, il n'y avait plus personne à proximité.

Le grenier n'était pas un endroit effrayant... tant que Mme Ganz y était ! Idalina avala sa salive. Dans l'ombre, les morceaux de décors, les malles et les armoires lui paraissaient étranges et menaçants. Y avait-il des fantômes, ici ? Idalina s'affola et se mit à hurler en tapant de toutes ses forces sur la porte. Ça ne servait à rien. Idalina pensa aux épées. Et si elle en prenait une pour se défendre ? Se défendre contre quoi ? C'était une idée idiote.

– Calme-toi... murmura Idalina. Bon. Les Kinra Girls vont se poser des questions sur mon absence. Elles vont me chercher, c'est sûr ! C'est facile de deviner que je suis encore ici... enfin... j'espère...

Idalina ralluma la lumière et s'assit sur un coffre, les bras croisés. C'était incroyable que ni le professeur ni ses camarades ne se soient aperçus qu'elle avait disparu ! D'accord, Mme Ganz ne connaissait pas tous les élèves de sa classe, mais quand même ! Elle aurait pu faire attention.

Pendant ce temps-là, ses amies l'attendaient au réfectoire. Naïma s'impatientait.

— Je meurs de faim, moi ! râla-t-elle.

Qu'est-ce qu'elle trafique ?

Kumiko remarqua Sarah qui passait avec son plateau. Et puis elle repéra John, Michelle et tous ceux qui étaient montés au grenier. S'ils étaient là, pourquoi Idalina ne l'était-elle pas ?

— Hé, Sarah ! appela Kumiko. Tu sais où est Idalina ?

Sarah secoua la tête.

— Ce n'est pas normal, dit Alexa.

Il n'en fallut pas plus. Les quatre filles se

levèrent. Elles vérifièrent d'abord qu'Idalina n'était pas retournée dans sa chambre.

– Bon, maintenant, je m'inquiète !
s'exclama Rajani.

– Réfléchissons, proposa Naïma.
Où pourrait-elle être ?

– Nous sommes sûres qu'elle était dans le grenier il y a peu, répondit Kumiko. Allons voir.

Après un moment d'hésitation au quatrième étage, les Kinra Girls comprirent que le dernier escalier se trouvait à l'autre bout du couloir.

– C'est sûrement interdit de venir ici sans être accompagné par un prof, remarqua Alexa. Bonne raison pour le faire ! Tiens ? C'est fermé !

Alexa n'hésita pas une seconde avant de tirer le lourd verrou. Idalina l'entendit et poussa un soupir de soulagement.

– Ah merci, les filles ! cria-t-elle.

Je ne doutais pas que vous alliez venir !

– Mais qu'est-ce qui t'est arrivé ?

demanda Rajani.

– Je crois que Mme Ganz ne m'a pas vue.

C'est vrai que j'étais tout au fond en train

de ranger...

– Chouette endroit ! admira Kumiko.

Ça mérite un petit tour ! Il y a quoi,

derrière cette porte ?

– Je ne sais pas, répondit Idalina.

Kumiko essaya d'ouvrir, sans succès.

Elle se pencha pour regarder par le trou

de la serrure.

– C'est tout noir. Dommage...

– Manger ! dit Naïma d'un ton suppliant.

Les Kinra Girls se mirent à rire.

– On reviendra une de ces nuits, promit

Alexa.

– T'es folle ! rétorqua Rajani. Juste

en dessous, il y a les chambres des professeurs ! Sans parler de Jazz qui risque de nous entendre ou de nous sentir ! C'est impossible, voyons !

Alexa eut un petit sourire. « Impossible » ne faisait pas partie de son vocabulaire !

Chapitre 8

Les Kinra Girls
prennent leur revanche

Alexa, à plat ventre, faisait ses devoirs. Elle était dans la chambre de Naïma et d'Idalina. Alexa détestait rester dans la sienne avec la « chère » Michelle. Alors elle travaillait chez les unes ou chez les autres, et parfois dans la bibliothèque.

– J'en suis sûre, affirma Alexa. Je suis sûre que c'est Michelle qui t'a enfermée

dans le grenier ! Sale peste, je vais lui
faire une vie d'enfer, je te le jure !

– Arrête ! dit Idalina. D'abord, tu n'as
pas de preuve. Et même si c'est Michelle
qui a fermé la porte, elle ne l'a pas
forcément fait exprès. Personne
ne s'est aperçu que j'étais encore là.
Je ne veux pas que tu t'attires des ennuis
à cause de moi.

– Pour le coup, Michelle aurait gagné,
ajouta Naïma.

– Absolument ! approuva Idalina.
Ne prends pas le risque d'être punie,
ça n'en vaut pas la peine.

Alexa grommela. Elle se moquait de ce qu'on
pouvait lui faire, à elle. Elle était assez grande
pour se défendre. Mais elle ne supportait
pas qu'on s'en prenne aux plus faibles.
Jamais Michelle n'oserait s'attaquer à Alexa,
elle aurait trop peur !

– Michelle ne perd rien pour attendre, crois-moi !

– Oublie ça ! répondit Idalina. Ce n'est pas grave !

– Parce qu'on t'a retrouvée très vite, remarqua Naïma. Imagine qu'on t'ait cherchée pendant des heures !

– Ah non ! protesta Idalina. Tu ne vas pas t'y mettre, toi aussi ! Tu ne dois pas sortir Jazz, Alexa ?

– Pas aujourd'hui. M. Meyer n'est pas là. Il avait un rendez-vous à l'extérieur.

– À propos de rendez-vous, dit Naïma, il est temps d'aller à la bibliothèque.

Alexa rassembla ses affaires. Elle passa les déposer dans sa chambre avant de se diriger vers la bibliothèque. Michelle était assise à sa table. Elle n'étudiait pas, elle mettait du vernis rose sur ses ongles. Alexa profita du fait qu'elle lui tournait le dos pour lui tirer

la langue. Elle se dépêcha de partir tant la présence de Michelle lui tapait sur les nerfs. Michelle souffla sur ses ongles pendant quelques secondes. Pensant qu'ils étaient assez secs, elle se jeta sur le classeur d'Alexa pour copier les réponses aux problèmes de géométrie. Alexa racontait partout qu'elle détestait les maths mais, en réalité, elle se débrouillait assez bien dans cette matière.

Michelle avait remarqué que sa colocataire était particulièrement forte en géométrie. Elle était donc persuadée qu'Alexa avait les bonnes réponses. Elle n'allait pas se fatiguer alors que c'était si facile de tricher ! Comme Mme Beckett était de garde à la bibliothèque, les Kinra Girls n'eurent pas l'occasion de chercher des livres sur l'histoire du château et le mystérieux Augustus Löwe. Dès qu'un élève approchait d'une étagère, Mme Beckett lui demandait ce qu'il voulait. Ce n'était pas par curiosité. Le professeur ne souhaitait que se rendre utile. Les Kinra Girls n'avaient pas envie que Mme Beckett leur pose des questions. Lorsque Alexa regagna sa chambre, Michelle n'était plus là. Sans doute traînait-elle à la cafétéria avec Ruby et Jennifer. Par habitude, Alexa vérifia qu'elle avait fini tous ses devoirs pour le lendemain. Elle fronça les sourcils. Sur le coin d'une des pages de son classeur, il y avait une minuscule tache… d'un rose vif… qui lui rappelait quelque chose…

Alexa regarda les étagères au-dessus du bureau de Michelle. Le flacon de vernis trônait sur l'une d'elles. Le visage d'Alexa devint rouge de colère. Michelle était une tricheuse ! Ah ! Elle allait l'entendre ! Puis, brusquement, Alexa se calma. Oh, non, non, non ! Il y avait mieux à faire… de beaucoup plus drôle.

Alexa rangea le classeur dans son sac, prit un livre et s'allongea sur son lit. Quand Michelle rentra, Alexa ne leva pas le nez et resta silencieuse.

Deux jours plus tard, M. Brown rendit les copies. Alexa avait une excellente note. Et, incroyable ! Michelle aussi. M. Brown était un professeur assez gentil, mais très exigeant. Il donnait des exercices plusieurs fois par semaine. Alexa sourit en voyant les problèmes de fractions. Difficile, ça ! Cette peste de Michelle ne devait rien y comprendre.

En fin d'après-midi, les Kinra Girls se retrouvèrent ensemble chambre 306. Alexa, avec l'aide de Kumiko, qui était très forte en maths, avait préparé une jolie surprise pour Michelle.

— Michelle est stupide de recopier les devoirs d'Alexa, remarqua Idalina. Comment fera-t-elle pendant les interrogations en classe ? Elle va regarder par-dessus l'épaule de sa voisine ? Si elle n'étudie pas sérieusement, elle le paiera à l'arrivée !

— Et si Michelle s'apercevait que tu as écrit n'importe quoi ? demanda Rajani à Alexa.

– Il n'y a aucun risque. Michelle ne sait faire que deux choses : jouer la comédie et porter les fringues les plus chères du monde !

– On n'est pas si bêtes, dit Kumiko. Il y a trois exercices faciles. On a répondu correctement à ceux-là. Michelle ne se rendra pas compte que les autres résultats sont faux !

Naïma admira « le travail » d'Alexa et de Kumiko.

– C'est réussi, commenta-t-elle. On a vraiment l'impression que les réponses sont bonnes.

– Oui, acquiesça Alexa. Je dois reconnaître que je n'aurais pas fait aussi bien sans Kumiko.

– Fais attention de ne pas te tromper ! dit Idalina.

– Non, j'ai tout prévu. Le faux devoir,

je le laisse dans le classeur. J'ai caché
l'autre dans mon livre d'histoire.

À ce propos, il est temps d'aller ranger
mes petites affaires...

Alexa fit un clin d'œil avant de sortir. Elle
fit la grimace en entrant dans sa chambre.
Michelle était très occupée à répéter son
texte pour son cours de théâtre.

    – Oh ! râla Alexa. Tu ne vas pas encore
me casser les oreilles ?

    – T'es pas obligée de rester ! rétorqua
Michelle.

    – J'habite ici, moi aussi. T'as de la chance
que ce soit l'heure de la balade de Jazz.

Alexa posa son classeur au milieu du bureau.
Elle glissa le livre d'histoire dans son sac.
Elle mit ses bottes et prit sa parka. Michelle
attendit cinq minutes après le départ de sa
colocataire. Puis elle s'empara du classeur et
s'installa tranquillement à sa table. Elle savait

qu'Alexa ne reviendrait pas avant longtemps.
C'était toujours le cas quand elle partait
promener le chien du directeur.

Le vendredi matin, M. Brown complimenta
plusieurs élèves, dont Alexa, pour leurs
excellents devoirs. Quand il s'arrêta devant
Michelle, il se contenta de hocher la tête
en soupirant.

Michelle blêmit en
découvrant le 3 sur 20
écrit en gros sur sa feuille.
Elle ne put s'empêcher
de se tourner vers sa
colocataire.
Alexa regardait droit
devant elle, un petit
sourire sur les lèvres.

Chapitre 9

Qui a peur des fantômes ?

Kumiko se servait de l'ordinateur
portable de Rajani pour trier ses
photos. Idalina et Naïma s'étaient
installées près d'elle. Elles aimaient
beaucoup le travail de la Japonaise.

– Dommage qu'il n'y ait pas de connexion
Internet dans les chambres, regretta
Kumiko. J'aurais voulu envoyer des
photos de l'Académie à mes parents.

– Tu peux le faire de la salle multimédia,

remarqua Idalina.

– Il faut demander l'autorisation d'abord.
C'est barbant. Qu'est-ce que vous pensez
de celle-ci ?

Idalina et Naïma se penchèrent en avant
pour mieux regarder.

– Elle est superbe, dit Naïma. C'est drôle,
je vois le dessin d'un oiseau dans l'écorce
de cet arbre. Les ailes là, et le bec ici...

– Ah oui, approuva Kumiko. Ça me fait
penser à une grue. Au Japon, on vénère
les grues. Dans l'ancien temps, on les
appelait « honorables seigneurs ».
On croyait que les grues avaient une
très longue vie. Les peintres japonais
les ont souvent représentées dans
leurs estampes. Ma maman fabrique
beaucoup de grues en papier. Si on veut
qu'un de ses vœux soit exaucé, il faut
faire mille fois cet origami[14] !

---

14. *Origami : art japonais du pliage de papier.*

– Moi, je connais une légende amusante sur les grues, répondit Idalina. Vous savez qu'elles ont l'habitude de se tenir sur une patte, comme les hérons ? L'histoire raconte que, dans un groupe de grues, il y en a toujours une qui doit surveiller pendant la nuit. Alors elle porte une pierre dans sa patte repliée et, si jamais elle s'endort, la pierre tombe sur son autre patte et elle se réveille !

Kumiko rit en cliquant sur la souris. Les trois filles reprirent leur sérieux.

– Tu pourrais passer ? demanda Naïma. Je n'aime pas ça.

Kumiko avait photographié toutes les tombes du cimetière. Pour faire plaisir à son amie, elle accepta. Les photos défilèrent. Soudain, Naïma poussa un cri.

– Attends ! Reviens en arrière !

– T'as changé d'avis ? s'étonna Kumiko.

Voilà. C'est l'église, vue du cimetière.

Qu'est-ce qu'il y a de particulier ?

Ce n'est que la… le… c'est…

Kumiko écarquilla les yeux.

— Je rêve ou quoi ? murmura Idalina.

Il y a quelqu'un à la fenêtre ? Quelqu'un

dans l'église ?

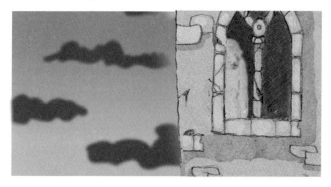

— Je vais recadrer ! s'exclama Kumiko si
brusquement qu'Idalina sursauta. Avec
les ordinateurs, c'est facile. Je sélectionne
cette partie de l'image, comme ça…
clic, clic… On perd en qualité, c'est flou,
dommage et… hiiii hoooo… Bizarre.

La forme dans l'encadrement de la fenêtre ressemblait bien à une silhouette humaine. Mais elle était étrangement blanche et imprécise.

– C'est un reflet, affirma Kumiko.

– Un reflet dans quoi ? répondit Idalina. Il n'y a pas de vitres dans l'église ! C'est un fantôme. Je crois que c'est une femme. Non ?

– C'est tout ce que ça te fait ? dit Kumiko, surprise.

– Je n'ai pas peur des fantômes. Enfin, pas trop.

– Mais… mais… bégaya Naïma. Elle était là ! À nous regarder !

Idalina posa la main sur celle de Naïma qui tremblait sur sa chaise.

– Je suis sûre qu'elle a trouvé que nous faisions quelque chose de vraiment gentil en déposant des offrandes sur les tombes.

– Je suis d'accord, acquiesça Kumiko.
On a bien fait.

– Je ne mettrai plus jamais les pieds
là-bas ! s'écria Naïma en se levant.

Après un long silence, Kumiko s'agita.

– Hé ! Vous vous rendez compte ? J'ai
photographié un fantôme ! C'est dingue !
J'ai hâte de montrer ça aux autres !
D'ailleurs, je me demande pourquoi
Rajani n'est pas encore revenue.

Rajani était descendue à l'infirmerie. Elle
avait un léger mal de tête. Emma, après
avoir vérifié qu'elle n'avait pas de fièvre, lui
avait donné un cachet. L'infirmière lui avait
conseillé de prendre une boisson chaude
au distributeur. Rajani s'était arrêtée à la
cafétéria et attendait que son thé refroidisse
un peu avant de le boire.

Alexa était sortie avec Jazz. Après avoir lavé
le chien, elle était repassée par sa chambre

pour mettre des vêtements secs. Michelle n'était pas là. Elle évitait le plus possible d'être en compagnie de sa colocataire et ne lui adressait plus la parole. Michelle avait deviné qu'Alexa lui avait tendu un piège, mais elle ne pouvait rien dire sans avouer être une vilaine tricheuse !

Alexa fut accueillie par trois filles surexcitées.

— Eh ! Pas toutes en même temps ! Je ne comprends pas de quoi vous parlez !

— Regarde ! cria Kumiko. J'ai photographié un fantôme !

Alexa s'assit en face de l'ordinateur, les sourcils froncés.

— Qu'est-ce que c'est que ce truc ?

— C'est un fantôme à la fenêtre de l'église ! dit Idalina.

— Quoi, ça ? Ce n'est qu'une vague tache blanchâtre !

– Ah ! bah oui, admit Kumiko, c'est parce que j'ai agrandi cette partie de l'image.

Tiens, je te remets la photo en entier…
Pendant quelques secondes, Alexa examina l'écran attentivement. Puis elle partit d'un grand éclat de rire.

– C'est une statue ! Une statue à côté de la fenêtre !
Kumiko resta bouche bée.

– T'es sûre ? demanda Naïma.

– Évidemment ! répondit Alexa, hilare. Sur la photo, c'est difficile de voir parce que c'est très petit. Et sur l'agrandissement, ça devient flou et tout bizarre, si bien qu'on ne sait plus ce qu'on voit ! Vous l'avez fabriqué vous-mêmes, votre fantôme !
Kumiko était vexée. Elle aurait dû se douter qu'elle avait transformé la réalité en illusion en un clic d'ordinateur ! C'était elle,

la professionnelle de la photographie !
Idalina était déçue. Elle avait commencé
à imaginer une histoire romantique et
tragique, celle d'une jeune fille séparée de
son amoureux et qui aurait préféré la mort
plutôt que de vivre sans lui... Une belle dame
condamnée à hanter l'église pour l'éternité
et dont on entendrait les cris déchirants au
cœur de la nuit noire... Une bonne histoire
qui fait pleurer !

Naïma était ravie. Ouf ! Pas d'horribles
revenants ni d'ancêtres en colère ! Alexa
n'en finissait plus de rire.

— Oh, ça va ! protesta Kumiko en croisant
les bras. Tout le monde peut se tromper !

— Désolée, je peux pas m'en empêcher !
dit Alexa en se tenant les côtes.
Vivement que Rajani soit là que je lui
raconte ça ! Ah, ah, ah ! Un fantôme !
C'est vraiment trop drôle !

Et Rajani, justement, arriva à ce moment-là.
Elle demanda pourquoi Alexa riait autant et
pourquoi Kumiko boudait.

– Je boude pas ! cria Kumiko en
s'asseyant devant l'ordinateur. Et puis,
je travaille, moi ! Alors, un peu de silence !
À mi-voix, Naïma expliqua à Rajani ce qui
s'était passé. Idalina parla à l'oreille d'Alexa.

– Arrête. Tu sais bien que Kumiko
n'a pas bon caractère.

– C'est pour ça que c'est aussi marrant !
rétorqua Alexa.
Idalina regarda l'Australienne sévèrement.
Alexa avait beaucoup de qualités mais
elle était très moqueuse. Elle pouvait être
blessante sans le vouloir.

– D'accord... dit Alexa en haussant les
épaules. Pas la peine de te fâcher...
Kumiko faisait comme si elle n'entendait
pas ce que disaient ses amies. Elle triait ses

photos les plus anciennes. Rajani s'approcha
d'elle. Il lui paraissait urgent de changer de
sujet de conversation !

– Ah tiens ! remarqua-t-elle. Ce sont celles
que tu as prises dans la bibliothèque,
la nuit où on a découvert le tube avec
le plan.

Rajani devint verte et muette.

– Le... le... le fan... le fantôme... bégaya
Kumiko.

– Encore ! s'écria Alexa, prête à rire
de nouveau.

Quand Rajani se tourna vers elle, le visage
décomposé, Alexa n'eut plus du tout
envie de plaisanter. Idalina et Naïma se
penchèrent par-dessus l'épaule de Kumiko.
Sur l'écran, on voyait Alexa qui faisait le
« V » de la victoire avec les doigts. À côté
d'elle, Rajani tenait le cylindre en métal
que les Kinra Girls venaient de trouver dans

le compartiment secret. Elles clignaient
un peu les yeux à cause du flash.
Mais derrière elles, il y avait...

   – Le chat fantôme... murmura Naïma.
Assis sur une des grandes tables en bois,
le chat blanc semblait prendre la pose.

— C'est incroyable, dit Alexa, stupéfaite.
Il était là, tout près de nous ! Et on n'a
rien vu ?

— On croirait vraiment qu'il est vivant,
remarqua Kumiko.

Rajani toucha l'écran de l'index.

— Regardez ! Regardez ce qu'il y a,
accroché à son cou !

— Une clé ! s'exclama Idalina. Souvenez-
vous ce qui est écrit sur le blason du lion :
« une clé d'or ouvre toutes les portes » !

Alexa fit la grimace.

— Ça va pas être facile de la récupérer,
là où elle est !

— Pourquoi il est sur la photo ? demanda
Naïma.

— C'est quoi, ça, comme question ?
répondit Alexa.

— Il l'a fait exprès, à votre avis ? Pour
qu'on sache que c'est lui qui a la clé ?

— C'est un chat, dit Alexa. Un fantôme, mais un chat quand même ! Vous pensez que c'est possible qu'il l'ait fait exprès, vous ?

— Moi, oui, affirma Idalina. D'abord, Rajani l'a aperçu entrant dans la bibliothèque. Et maintenant, il est sur une photo ! Le chat fantôme essaie de nous dire quelque chose, j'en suis sûre.

Naïma poussa un long soupir.

— J'étais si contente qu'il n'y ait pas de fantôme dans l'église ! Et en revoilà un dans l'école !

— On le savait déjà, répondit Rajani. En tout cas, moi, je le savais !

— Et le trésor existe aussi, ajouta Kumiko. Augustus l'a caché quelque part, c'est évident. Il était très, très riche. Si riche qu'il a fait construire le château. Et il a aussi payé les travaux du moulin et de l'église.

– Les Kinra Girls sur la piste du trésor
du mystérieux Augustus Löwe ! s'écria
Alexa. Est-ce que c'est pas génial, ça ?

– Kinra Girls *forever* ! répondirent
quatre voix à l'unisson.

Kumiko tourna sur sa chaise et donna une
grande tape sur l'épaule d'Alexa.

– Hé, la moqueuse ! Finalement, j'ai bien
photographié un fantôme !

Les cinq Kinra Girls éclatèrent de rire.

Puis, en silence, elles regardèrent l'écran
de l'ordinateur. « Une clé d'or ouvre toutes
les portes ».

Une clé suspendue au cou d'un chat
fantôme qui aimait être pris en photo.

Histoire à suivre...

VOCABuLAIRE

Atman (en sanskrit) :
souffle vital, personne, âme.
En Inde, le singe est le symbole de l'âme.

Cupcakes (en anglais) :
petits gâteaux britanniques ou
américains recouverts d'un épais glaçage.

Dowie :
chez les Aborigènes, sorte de paradis.

Esperanza (en espagnol) :
espérance, espoir.

Forever (en anglais) :
toujours, pour toujours.

Justicia (en espagnol) :
justice.

Kinra Girls forever :
Kinra Girls pour toujours.

Leo (en latin) :
lion.

Löwe (en allemand) :
lion (prononcer « leuveu »).

Rani (en hindi,
une des langues parlées en Inde) :
reine.

Vegemite (en anglais) :
pâte à tartiner
typiquement australienne.

© L.-A. Thompson/Istock.

LA VEGEMITE

La Vegemite est une pâte à tartiner salée, brun foncé et collante, fabriquée à base de levure de bière, d'extraits de légumes et d'épices.

C'est une spécialité australienne inventée en 1923. Très riche en vitamines B, la Vegemite a rapidement été utilisée par les médecins pour combler certaines carences et est devenue très populaire. Pendant la Seconde Guerre mondiale, la Vegemite était même distribuée aux soldats. Le pays entier a dû limiter sa consommation pendant cette période pour permettre à tous les soldats d'avoir leur ration de Vegemite !

Les Australiens adorent cette pâte : ils l'utilisent au petit déjeuner sur des toasts, au goûter sur des tartines avec du beurre, mais aussi en sauce dans des plats. On trouve même des pizzas et des hamburgers à la Vegemite !

Mais si les Australiens (et les Néo-Zélandais) raffolent de la Vegemite, la plupart des non-Australiens sont rebutés rien qu'à son odeur ! Il existe quand même dans d'autres pays des pâtes à tartiner qui ressemblent à la Vegemite australienne : la Marmite en Grande-Bretagne, en Irlande et en Afrique du Sud, et le Cenovis en Suisse, par exemple.

À croire qu'il faut avoir été élevé à la Vegemite depuis son enfance, comme Alexa, pour pouvoir la savourer !

© R. Mackenzie/Istock.

LE CODE MULLEE MULLEE

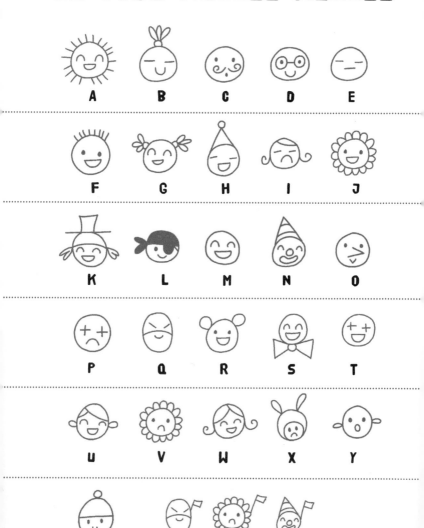

La présence d'un accessoire (drapeau, étoile, fleur...) indique le début d'un mot.

Au secours

Danger

Tout va bien

Bora = réunion secrète.

Borakawa = rendez-vous au moulin.

0% = attention, les pestes sont dans le coin.

faire un clin d'œil 2 fois de suite :
SUIVEZ-MOI !

Se mettre un doigt dans le nez :
PESTES EN VUE !

Se tirer l'oreille :
ATTENTION ! Quelqu'un nous écoute !

Se gratter le haut du crâne comme un singe :
BORA

Tirer la langue en serrant le cou :
AU SECOURS ! J'ai été empoisonnée !

S'enfuir en courant :
UN CROCODILE ME COURT APRÈS !

Se frotter le ventre avec une main,
l'autre main sur la hanche :
J'AI VU QUELQUE CHOSE D'INTÉRESSANT
(comme le chat fantôme...)

PLAN DU DOMAINE

Les écuries

Le kiosque et le labyrinthe

Le cirque

L'Académie Bergström

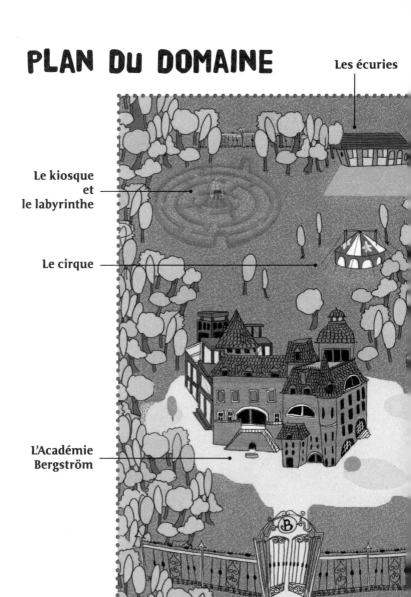

Le moulin abandonné

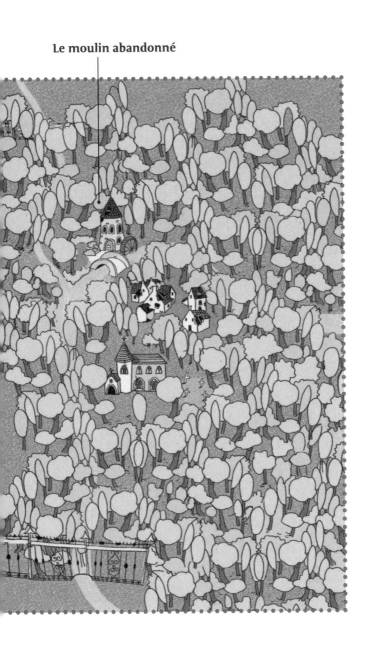

SUIS LES AVENTURES DES KINRA GIRLS

LE SECRET DE KUMIKO — k

IDALINA CHANTEUSE DE FLAMENCO — i

NAÏMA ET LE CIRQUE DE NEW YORK — n

RAJANI VEUT DANSER — r

LE CODE SECRET D'ALEXA — a

1. LA RENCONTRE DES KINRA GIRLS
2. LE CHAT FANTÔME
3. LES GRIFFES DU LION
4. QUI A PEUR DES FANTÔMES ?
5. DESTINATION JAPON
6. LA CLÉ D'OR
7. PREMIER AMOUR
8. LE ROYAUME DES OMBRES
9. SUR LA PISTE DU TRÉSOR
10. CARTES POSTALES DU MONDE
11. LE DRAGON BLEU
12. VOYAGE EN PAYS HANTÉ
13. LE PALAIS DE LA LUNE
14. LE COYOTE S'EN MÊLE
15. UN AMOUREUX SECRET
16. FAITES UN VŒU
17. LES GARÇONS À LA RESCOUSSE

+ 3 HORS SÉRIE !

DÉCOUVRE AUSSI LES ACTIVITÉS CRÉATIVES DES KINRA GIRLS

Pour décorer
courriers et cahiers

Pour t'amuser
pendant des heures

Pour toute
l'année scolaire

À emporter
partout

Pour créer tes looks
préférés

Pour y écrire
tes secrets

Crée tes
bracelets brésiliens !

Une belle
boîte à garder
précieusement

lili
Chantilly

*Découvre notre Lili aussi drôle que têtue
et suis-la au fil de ses aventures...*

Tome 1

Depuis toute petite,
Lili adore dessiner, créer
et veut devenir styliste.
Mais son père s'y oppose...

Tome 2

Lili entre en sixième au collège Dalí,
une école d'art. Mais la rentrée
n'est pas de tout repos...

Tome 3

Un défi est lancé à la classe de Lili :
organiser un défilé de mode !

Tome 4

Lili passe beaucoup de temps
aux écuries, mais les pestes
ne la laissent jamais tranquille...

Tome 5

Le père de Lili vient passer
quelques jours avec sa fille.
Mybel, de son côté, monte un clan
de style kawaï contre Lili…

Tome 6

De drôles de bruits réveillent
les élèves de l'École Dalí
en pleine nuit…

Tome 7

Lili est de retour chez elle…
où une belle suprise l'attend !

Tome 8

La classe de Lili participe
à un concours d'art.

Tome 9

Lili reçoit le résultat
du concours d'art.

Tome 10
À PARAÎTRE
(décembre 2015)

Rejoins-nous sur
www.lilichantilly.com

ISBN : 9782809647181.
Dépôt légal : avril 2012.
Imprimé en Chine.

Loi n° 49-956 du 16 juillet 1949 sur les publications destinées à la jeunesse.

Textes et illustrations reproduits avec l'aimable autorisation de Corolle.

Mise en page : Isabelle Southgate.
Mise au point de la maquette : Cédric Gatillon.
Roc Prépresse pour la photogravure.

Nous tenons à remercier pour leur contribution à cet ouvrage :
M. Bellamy-Brown ; C. Bleuze ; M. Boucher ; J.-L. Broust ; S. Champion ; N. Chapalain ;
A.-S. Congar ; M. Dezalys ; E. Duval ; A. Le Bigot ; B. Legendre ; É. Leplat ; L. Maj ;
K. Marigliano ; C. Onnen ; L. Pasquini ; C. Petot ; L. Robaeys ; C. Schram ;
M. Seger ; V. Sem ; S. Tuovic ; K. Van Wormhoudt ; M.-F. Wolfsperger.